Si-sa-yong-o-sa, Inc.
55-1, Chongno 2-ga, Chongno-gu
Seoul 110, Korea

Si-sa-yong-o-sa, Inc., New York Office
115 West 29th Street, 5th Floor
New York, NY 10001
Tel : (212) 736-5092

Si-sa-yong-o-sa, Inc., Los Angeles Office
3053 West Olympic Blvd., Suite 208
Los Angeles, California 90006
Tel : (213) 387-7105/7106

ISBN 0-87296-010-2

Printed in Korea

The Goblins and the Golden Clubs

도깨비 방망이

Adapted by Mark C. K. Setton
Illustrated by Kim Chun-jong

Si-sa-yong-o-sa, Inc.
Seoul • New York • Los Angeles

Once there were two brothers who lived in a small village. The elder brother, a wild, selfish fellow, treated his parents very badly. His younger brother, though, was well known for his kindness and honesty.

One day the younger brother was out in the forest. He had been gathering wood all afternoon and felt quite tired. Putting down his load, he sat under a large tree to rest.

All of a sudden a big hazelnut dropped from the tree and fell with a "klunk" straight on his head.

"Ah, a nice tasty hazelnut," he said to himself, picking it up from the ground. "I should give this to my father when I get back home."

옛날 어느 작은 마을에 두 형제가 살았읍니다. 형은 사납고 욕심장이였으며, 부모님들을 함부로 대했읍니다. 그러나 아우는 친절하고 정직하기로 소문나 있었읍니다.

어느 날 아우가 숲속으로 나갔읍니다. 아우는 오후 내내 나무를 하고 나니까 몹시 피곤했읍니다. 그래서 나무짐을 내려놓고 큰 나무 밑에서 쉬고 있었읍니다.

그때 갑자기 그 큰 나무에서 개암 하나가 그의 머리 위에 '뚝'하고 떨어졌읍니다.

"아, 맛있는 개암이구나," 땅에서 개암을 주우면서 혼자 생각했읍니다. "집에 갖고 가서 아버님께 드려야지."

Just then another hazelnut fell to the ground next to him.

"This one," he said, "I'll give to my mother."

Then several more nuts fell all around him.

"I'll keep these for my brother and his wife," he continued, picking up another two nuts.

"And I'll keep this one for myself," he said, putting the last hazelnut in his pocket.

By this time the sun had almost set, so picking up his load he hurried down the path towards his house. It wasn't safe to be out in the forest now. He could already hear the wolves howling in the distance.

바로 그때 또 한 개의 개암이 그 옆에 떨어졌읍니다.

"이건 어머님께 드려야지," 하고 말했읍니다.

그러자 더 많은 개암이 그의 주위에 떨어졌읍니다.

"이것들은 형님과 형수님께 드려야지," 하면서 두 개의 개암을 더 주웠읍니다.

"그리고 이건 내가 먹어야지," 하면서 마지막 한 개의 개암을 주머니에 넣었읍니다.

이러는 중에 날이 거의 저물었으므로 아우는 짐을 지고 집을 향해 부지런히 걸음을 재촉했읍니다. 이렇게 밤늦은 시간에 숲속에 있는 것은 위험했읍니다. 멀리서 늑대들의 울부짖는 소리가 들렸읍니다.

Very soon it became pitch black, and he lost sight of the path completely. "At this rate I'll never get back home," he thought, picking his way through the trees in the darkness.

It seemed as if he had been walking for hours.

Suddenly, he found himself in a clearing. In the middle of this was a small house surrounded by a wall. As he drew nearer the house he shouted, "Is anyone at home?" But there was no answer, because it was completely empty.

"Whew," he sighed, "an empty house. That's a stroke of luck. I'll spend the night here and set off for home in the morning." The young man put down his load and stepped into one of the rooms. Then he lay down and fell fast asleep.

곧 칠흑같이 어두워져 아우는 완전히 길을 잃고 말았읍니다. "이래 가지고는 도저히 집으로 돌아갈 수가 없겠어." 캄캄한 어둠 속에서 나무 사이로 길을 찾으며 아우는 생각했읍니다.

벌써 여러 시간을 이렇게 헤맨 것 같았읍니다.

바로 그때 산속의 빈터가 보였읍니다. 그 빈터 한가운데는 담으로 둘러싸인 조그만 집 한 채가 있었읍니다. 그는 집으로 가까이 다가가면서 외쳤읍니다. "안에 아무도 안 계세요?" 그 집은 텅텅 빈 집이었으므로 아무런 대답이 없었읍니다.

"후유," 한숨을 내쉬었읍니다. "빈집이었구나. 뜻밖의 행운인데. 여기서 오늘 밤을 지내고 내일 아침 집으로 가야지." 젊은이는 짐을 내려놓고 방안으로 들어갔읍니다. 그리고는 드러누워서 깊이 잠들어 버렸읍니다.

Very late at night he was woken up by loud thumping and grunting sounds. He sat up and peered through a crack in the door. Then he saw the strangest sight he had ever seen. In the next room a group of skinny goblins carrying large clubs were leaping around in a circle. Beating their clubs on the floor, they sang a mysterious song.

"Thump, thump, silver come out!
Thump, thump, gold come out!"

As the goblins danced, their clubs began to glitter and turn into silver and gold.

The young man was so scared he was trembling all over. To calm his nerves, he took a hazelnut from his pocket and crunched it between his teeth.

　아주 이슥한 밤에, 그는 쿵쾅, 꿀꿀대는 시끄러운 소리에 잠이 깼읍니다. 그는 일어
나서 문틈으로 내다보았읍니다. 생전 처음보는 이상한 광경이 벌어지고 있는 것을 보
았읍니다. 바로 옆방에서 바짝 마른 한 떼의 도깨비들이 커다란 방망이를 들고 빙 둘
러서서 뛰고 있었읍니다. 방망이로 마루바닥을 두들기면서 이상한 노래를 불렀읍니다.
　"은 나와라 뚝딱!
　　금 나와라 뚝딱!"
　도깨비들이 춤을 추자 방망이들은 빛을 내면서 금과 은으로 변했읍니다.
　젊은이는 너무 무서워서 벌벌 떨었읍니다. 놀란 가슴을 가라앉히기 위해 젊은이는 주
머니에서 개암을 하나 꺼내서 이빨로 꽉 깨물었읍니다.

"Crackkk!" went the nut.

The goblins jumped up in fright.

"What was that?" whispered one of them.

"The house has been struck by lightning!" said another.

"Then what are we standing around for?" shrieked a third goblin. "Let's get out before the roof falls down on us!"

They threw their clubs down in a heap and fled out of the house.

The next morning the young man picked up the clubs left by the goblins and tied them together. Then he lifted them onto his back and stepped out of the house. As he was passing through the front gate, he saw some writing on the wall of the house.

"따닥!"하고 개암이 깨졌읍니다.

도깨비들이 놀라서 펄쩍 뛰었읍니다.

"무슨 소리지?"그들 중의 하나가 속삭였읍니다.

"이 집에 벼락이 맞은 것 같아!"다른 도깨비가 말했읍니다.

"그럼 이렇게 서 있으면 안되잖아?"세 번째 도깨비가 소리질렀읍니다. "지붕이 무너져 내리기 전에 얼른 나가야 돼!"

도깨비들은 방망이를 팽개친 채 우르르 집밖으로 도망쳐 나갔읍니다.

다음날 아침 젊은이는 도깨비들이 버리고 간 방망이들을 주워 모아 한데 묶었읍니다. 그리고는 등에다 짊어지고 그 집에서 나왔읍니다. 젊은이는 대문을 나오면서 그 집 담벼락에 글이 쓰여 있는 것을 보았읍니다.

The writing said: "Sprinkle rice, and the minister's daughter will be cured."

These strange words made him very curious, and he set off down the path repeating them to himself.

When he got back home he looked carefully at the goblin's clubs and found that they were made of pure silver and gold. Then he took the clubs and exchanged them for a beautiful house and a large piece of land, as well as many horses and cattle. He brought his poor parents to the house and the three of them lived very comfortably together.

At that time the daughter of a government minister, one of the highest officials in the land, caught a mysterious disease. She would lie in bed groaning all day, her pretty face was pale as pale can be. Famous doctors came from far and wide to cure her, but none of them succeeded. They tried this medicine and that medicine, from deer antlers to snake soup, but the poor girl only grew worse and worse.

12

　글의 내용은, 「쌀을 뿌리면 정승의 딸이 나을 것이다」라고 쓰여 있었읍니다.

　이 이상한 말에 젊은이는 매우 호기심이 나서, 길을 따라 내려오면서도 그 말을 되풀이해서 외었읍니다.

　집에 돌아와서 도깨비들의 방망이를 유심히 살펴보았더니 그것은 모두 금과 은으로 만들어진 것이었읍니다. 그래서 젊은이는 그 방망이들을 가지고 아름다운 집과 넓은 땅은 물론, 말과 소도 많이 샀읍니다. 젊은이는 불쌍한 부모님들을 그 집으로 모시고 와서 행복하게 살았읍니다.

　한편, 이때 나라안에서 가장 높은 벼슬에 있는 정승의 딸이 이상한 병에 걸려 있었읍니다. 그녀는 온종일 끙끙 앓으면서 누워있었고 예쁜 얼굴은 백지장같이 창백했읍니다. 전국 방방곡곡에서 유명한 의원들이 왔으나 아무도 고치지 못했읍니다. 의원들은 이약 저약을 다 써보았고, 심지어 녹용, 뱀탕까지도 써보았지만 불쌍한 소녀는 나날이 더욱 쇠약해져 갈 뿐이었읍니다.

All the people in the country were greatly distressed. They worried about her as if she were their own daughter, because her father was loved and respected by everybody.

One day the younger brother also came to hear about the sad news. As he thought about it, he suddenly remembered the strange writing on the wall of the empty house where he found the goblins' clubs.

"That's it!" he said to himself. "Sprinkle rice on the minister's daughter, and she'll be cured!"

Then he jumped on his horse and rode with all speed to the house where the minister lived. It took him all day and half the night to get there.

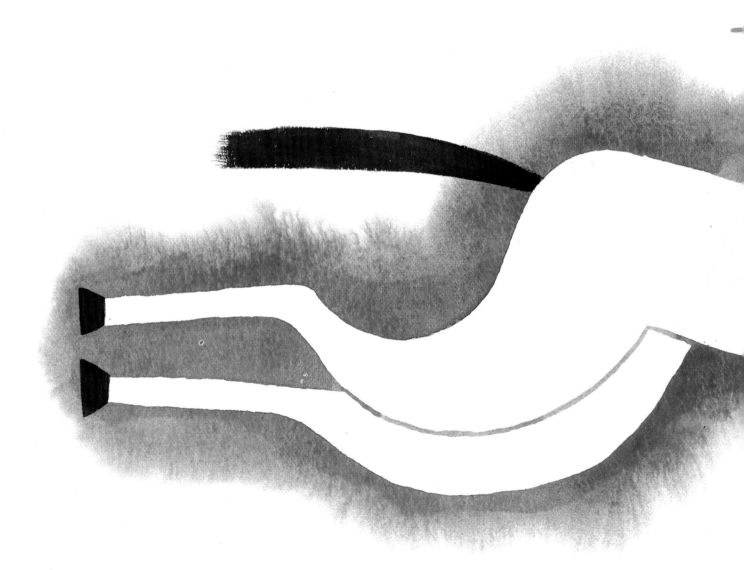

나라 안의 모든 백성들도 매우 걱정을 했습니다. 모든 사람들이 소녀의 아버지인 정승을 사랑하고 존경했기 때문에 백성들은 모두 그 소녀를 마치 자기 딸처럼 걱정했습니다.

어느 날 그 아우도 이 슬픈 소식을 듣게 되었습니다. 곰곰히 생각하다가 그는 갑자기 도깨비 방망이를 얻게 된 그 빈집 담벼락에 쓰여 있던 글을 생각해냈습니다.

"바로 그거야!" 젊은이는 중얼거렸습니다. "정승의 딸에게 쌀을 뿌리면 나을거야!"

젊은이는 곧 말을 타고 정승의 집으로 급히 달려갔습니다. 하루 종일 가고도 밤이 늦어서야 정승의 집에 도착했습니다.

"I have come to cure your daughter of her illness," he announced on his arrival.

The minister and his wife looked at the young man on their door-step as if they didn't believe a word he was saying.

"Please, all I need is a bowl of rice," he asked them earnestly.

The minister shrugged his shoulders. He had no hope for his daughter, but he didn't have the heart to turn the young man away. Then he told a servant to bring a bowl of rice from the kitchen.

His wife led the young man into the house. "What good is rice to cure a sick person," she muttered, shaking her head.

The minister's daughter was lying down, her eyes closed and her face a ghastly pale.

16

"제가 대감님의 딸을 낫게 해드리려고 왔읍니다."정승댁에 도착한 젊은이가 말했읍니다.

정승과 그의 아내는 문간에 서 있는 젊은이의 말을 전혀 믿을 수 없다는 듯이 쳐다보았읍니다.

"제발, 믿어주십시오. 제게 필요한 것은, 쌀 한 사발만 있으면 됩니다."젊은이는 그들에게 간청했읍니다.

정승은 어깨를 들썩했읍니다. 정승은 딸에게 더 이상 희망을 가지고 있지도 않았지만 차마 그 젊은이를 쫓아보낼 수도 없었읍니다. 그래서 하인을 시켜 부엌에서 쌀을 한 사발 가져오도록 했읍니다.

정승의 아내가 젊은이를 집안으로 안내했읍니다. "아픈 사람을 어떻게 쌀로 낫게 한담," 정승의 아내는 고개를 설레설레 흔들며 중얼거렸읍니다.

정승의 딸은 드러누워 있었으며, 두 눈을 감은 채, 얼굴은 파랗게 질려 있었읍니다.

Then the young man knelt over her, took the rice, and gently sprinkled some over her head.

Suddenly, as if she had awakened from a bad dream, the minister's daughter groaned and half opened her eyes.

He continued to sprinkle rice all over her.

This time she heaved a long sigh and stretched her whole body. Then she sat up and smiled.

Her parents were struck dumb with surprise.

"My daughter!" cried her father, when he could find his voice again. "I thought...."

The minister and his wife took their lovely daughter in their arms and cried for joy. They had lost all hope of seeing her healthy again, and now she was smiling as if she had never been sick before.

젊은이는 그녀의 곁에 무릎을 꿇고 앉아 쌀을 머리에 살살 뿌렸읍니다.

그러자 갑자기 정승의 딸이 마치 악몽에서 깨어난 듯이 신음소리를 내면서 눈을 반쯤 떴읍니다.

젊은이는 계속 쌀을 그녀의 온몸에다 뿌렸읍니다.

정승의 딸이 이번에는 긴 한숨을 내쉬면서 전신을 뻗치고, 기지개를 켰읍니다. 그리고는 벌떡 일어나 앉으면서 웃었읍니다.

그녀의 부모님들은 너무 놀라서 어리둥절했읍니다.

"내 딸아!" 말을 되찾은 아버지는 울면서 말했읍니다. "난, 난…"

정승과 정승의 부인은 사랑하는 딸을 끌어안고 너무 기뻐서 울었읍니다. 그들은 딸의 건강한 모습을 영원히 볼 수 없으리라 생각했었는데, 이제 그녀는 아무렇지도 않았던 것처럼 웃고 있었읍니다.

"How can we ever thank you enough?" asked the minister, clasping the young man's hands in his own. "No matter what we give you, we could never pay you back for what you have done."

The kind and honest younger brother shyly bowed his head. Then he told the minister the whole story about the goblins and how he had discovered the cure for his daughter's disease on the wall of the house.

"Now I understand," answered the minister thoughtfully. "Because of your kind, gentle heart, Heaven sent you to our house. Through you our family has received a great blessing." Then he paused and said, "Young man, there is one thing I can do for you. Will you take my daughter as your wife?"

"But, how...?" stammered the young man, at a loss for words.

"I want to make you my son-in-law," insisted the minister. "Will you marry my daughter?"

The young man was so happy to hear this that he didn't know what to say. Finally he promised to take the minister's daughter as his wife, and soon a huge banquet was held to celebrate the engagement.

After the feast the younger brother hurried back home to tell his parents about everything that had happened. But when he reached the house his greedy elder brother was waiting for him. The elder brother lived in another village, but today he had come back, and he seemed very angry indeed.

"Where on earth have you been?" he shouted as soon as they had met. "You ought to be ashamed of yourself, running off like that without a word."

Instead of becoming angry, the younger brother calmly explained what had happened in detail.

"Huh!" snorted his brother. "If a young scamp like you can become rich and famous like that, so can I!"

Grumbling under his breath, the greedy elder brother left the house and went deep into the forest. He couldn't wait to see the goblins and take their golden clubs. He found a large hazelnut tree and squatted beneath it.

Sure enough, in a little while a hazelnut came dropping out of the tree.

"이 고마움을 어떻게 다 보답하지?" 젊은이의 두 손을 움켜잡고 정승이 말했읍니다. "우리가 자네에게 무엇을 준다 하더라도 결코 자네의 고마움에 대해 다 보답할 수는 없을걸세."

착하고 정직한 아우는 수줍어하면서 고개를 숙였읍니다. 그리고는 정승에게 도깨비이야기와 그 집 담벼락에 딸의 병을 낫게 하는 법이 쓰여 있었던 이야기를 모두 했읍니다.

"이제야 알겠네," 정승은 깊은 생각에 잠기는 듯 하면서 말했읍니다. "자네의 착하고 너그러운 마음씨 때문에 하느님이 자네를 우리집으로 보내주신 것일세. 자네로 인해서 우리집은 커다란 축복을 받은 셈이야." 정승은 잠시 멈추었다가 다시 말했읍니다. "이보게 젊은이, 내가 자네에게 보답하고 싶은 일이 있네. 내 딸을 아내로 맞아주지 않겠나?"

"하지만, 어떻게 제가…?" 젊은이가 할 말을 잊고 더듬거렸읍니다.

"자네를 내 사위로 삼고 싶네," 정승이 고집했읍니다. "내 딸과 결혼해 주지 않겠나?"

젊은이는 이 소리를 듣자 너무 행복해서 무어라고 말을 해야 좋을지 몰랐읍니다. 드디어 그 젊은이는 정승의 딸을 아내로 맞겠다고 약속을 했으며, 뒤이어 약혼을 축하하기 위해 큰 잔치가 베풀어졌읍니다.

잔치가 끝나자 아우는 급히 집으로 돌아와서 부모님들께 모든 일을 말씀드렸읍니다. 그러나 아우가 집에 도착해 보니 욕심장이 형이 그를 기다리고 있었읍니다. 형은 이웃 마을에 살고 있었는데, 오늘 집에 와서 몹시 화를 내고 있는 것같이 보였읍니다.

"대관절 넌 어딜 갔었느냐?" 형은 아우를 보자마자 고함을 질렀읍니다. "넌 말 한 마디 없이 집을 뛰쳐 나갔으니 부끄러운 줄을 알아야 해."

아우는 화를 내는 대신, 조용히 어떤 일이 일어났던가를 자세하게 설명했읍니다.

"흥!"하고 형은 코웃음을 쳤읍니다. "너 같은 풋나기 망나니가 그렇게 부자가 되고 유명해진다면, 나도 될 수 있지!"

작은 소리로 투덜대면서, 그 욕심장이 형은 집을 떠나 깊은 숲속으로 들어갔읍니다. 형은 도깨비들을 만나서 금방망이 차지하는 것을 잠시도 지체할 수가 없었읍니다. 그는 커다란 개암나무를 찾아내어 그 나무 밑에 쪼그리고 앉았읍니다.

정말 조금 있으니까, 그 나무에서 개암이 떨어졌읍니다.

Snatching it up, he said, "Ah, a tasty hazelnut! This one is for me."

Soon another hazelnut fell beside him.

"This one I'll keep for one of my little brats," he chuckled, putting it in his pocket.

Then another nut fell.

"I'll give this one to my wife," he thought, picking it up. "Now all I need are two more nuts for my parents."

After some time two big hazelnuts tumbled down from the tree. But the elder brother felt very hungry after his long walk, and the nuts looked very tasty.

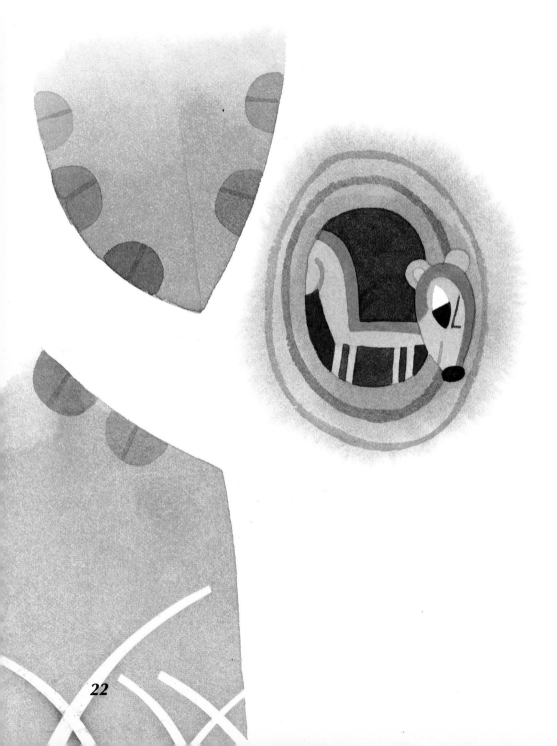

그걸 얼른 집으면서 형이 말했읍니다. "아, 맛있는 개암이구나! 이건 내가 먹고."

얼마 뒤에 개암이 또 한 개 떨어졌읍니다.

"이건 내 새끼들 갖다 주고," 형은 킬킬대면서 개암을 주머니에 넣었읍니다.

또 한 개가 떨어졌읍니다.

"이건 마누라에게 갖다 줘야지,"하고 형은 개암을 주우면서 생각했읍니다. "이제 부모님들께 갖다드릴 것 두 개만 더 있으면 되겠다."

얼마 후에 커다란 개암 두 개가 나무에서 굴러 떨어졌읍니다. 그러나 형은 먼 길을 걸었기 때문에 매우 배가 고팠읍니다. 또 그 개암들은 아주 맛있어 보였읍니다.

"What a waste to give them all away to my stupid relatives," he sighed. Instead of putting the nuts in his pocket, he put them in his mouth and ate them.

After a while he grew rather tired of eating hazelnuts. So a long time before the sun had gone down, he set off to find the empty house. In daylight it was easy to find. He stepped inside, lay down on the floor, and waited eagerly for the goblins to come.

Darkness fell and the whole forest became still.

Some time later, deep at night, he heard strange shuffling and grunting noises. He stared through the hole in the door, his eyes as round as saucers. The goblins were coming into the house! Soon they began their dancing and singing.

"Thump, thump, silver come out!

Thump, thump, gold come out!"

When he saw their glittering clubs of gold and silver, the greedy brother trembled with excitement. "Soon I'll be the richest man in the country," he said to himself.

"이것들을 바보같은 가족들에게 갖다 주기는 아까운데,"하며 한숨을 쉬었읍니다. 형은 그 개암들을 주머니에 넣지 않고 자기의 입안에 넣고 먹어버렸읍니다.

잠시 후에 형은 개암 먹는 일에 싫증을 느꼈읍니다. 해가 지려면 아직도 멀었지만 그는 그 빈집을 찾아 나섰읍니다. 낮이었기 때문에 찾기가 쉬웠읍니다. 그는 집안으로 들어가서, 마루 바닥에 드러누워서 도깨비들이 나타나기를 목이 빠지게 기다렸읍니다.

어둠이 깃들고 온 숲속이 잠잠해졌읍니다.

오랜 시간이 지나 밤이 이슥해지자, 밖에서 이상한 발자국 소리와 꿀꿀대는 소리가 들렸읍니다. 형은 문구멍으로 내다 보다가 놀라서 눈이 접시 만큼이나 커졌읍니다. 도깨비들이 집안으로 들어오고 있는 것이었읍니다! 도깨비들은 곧 춤과 노래를 시작했읍니다.

"은 나와라 뚝딱!
금 나와라 뚝딱!"

금빛 은빛으로 번쩍이는 도깨비들의 방망이를 본 욕심장이 형은 흥분해서 가슴이 뛰었읍니다. "머지않아 내가 이 나라에서 제일가는 부자가 될거야,"하고 생각했읍니다.

He took a large hazelnut from his pocket and cracked it between his teeth.

"Crackkk!" went the nut.

Then he waited for the goblins to run away. But they didn't run away at all. Instead they became very curious.

"Who made that sound?" asked one of the goblins.

The elder brother grew very impatient. "The silly fools must be deaf!" he said to himself. So he stuffed his cheeks with two more nuts and crunched them as loudly as possible.

"Crackkk! Crackkk!" went the nuts.

"Humph!" grunted one of the goblins. "I think he's in that room over there!"

They whispered together for some time. Then pushing open the door, they rushed into the room where the terrified elder brother was hiding.

형은 주머니에서 큰 개암 하나를 꺼내서 꽉 깨물었읍니다.

"따닥!"하고 개암이 깨졌읍니다.

그리고는 도깨비들이 도망가기를 기다렸읍니다. 그러나 도깨비들은 꼼짝도 하지 않았읍니다. 그들은 오히려 수상하게 생각했읍니다.

"저 소리는 누가 낸거지?"한 도깨비가 물었읍니다.

형은 더욱 안달이 났읍니다. "저 바보같은 놈들은 귀머거리인가 봐!"그는 혼자서 중얼거렸읍니다. 그래서 그는 개암 두 개를 한꺼번에 입안에 넣고 될 수 있는 대로 큰 소리가 나도록 깨물었읍니다.

"따닥! 따닥!"개암이 깨졌읍니다.

"흐응!"한 도깨비가 으르렁거렸읍니다. "그놈이 저 방에 있는 것 같아!"

도깨비들은 한참동안 수군댔읍니다. 그리고는 방문을 열어 젖히고, 형이 겁에 질려 숨어 있는 방으로 몰려들었읍니다.

"So, you're the rascal who tricked us and took our clubs!" shrieked one of the larger goblins. "And now you're back again. You won't fool us this time, you sly fox. Have a taste of our golden clubs!"

They dragged the greedy elder brother into the yard. Then they started to beat him mercilessly with their clubs, crying:

"Thump, thump, beat him to pulp!

Thump, thump, beat him to pulp!"

The elder brother had no way to avoid the clubs, which were falling on him like rain. "Urghhh...I'm dying! Someone, help me!" he cried, and then he passed out.

Finally, at the crack of dawn, the goblins left and disappeared into the forest.

"네 놈이 바로 우리를 속이고 방망이를 가져간 나쁜 놈이구나!"그들 중에서 좀 덩치가 큰 도깨비가 소리쳤읍니다. "그리고도 또 왔어. 네 놈이 이번에는 우릴 속이지 못할게다, 이 여우같이 간사한 놈아. 우리 금방망이 맛좀 봐라!"

도깨비들은 욕심장이 형을 마당으로 끌어냈읍니다. 그리고는 그들의 방망이로 사정없이 때리기 시작했읍니다. 때리면서 고함을 질렀읍니다.

"종잇장처럼 납작해지도록 두들겨라, 뚝딱!
종잇장처럼 납작해지도록 두들겨라, 뚝딱!"

형은 빗줄기처럼 쏟아지는 몽둥이질을 피할 방도가 없었읍니다. "에그그…나 죽는다! 사람 살려요!"하고 외치다가 까무라치고 말았읍니다.

마침내 새벽이 되자 도깨비들은 숲속으로 사라지고 말았읍니다.

Meanwhile, the kind younger brother was becoming very worried indeed. Almost one day had passed and still his elder brother hadn't come back. He left home and ran to the empty house in the woods.

"What happened to you?" he gasped when he saw his bruised and battered elder brother lying on the ground. Lifting him on his back, he carried him home and carefully nursed his wounds.

The elder brother now felt very sorry about all his wrongdoings. "Please forgive me for all the bad things I did," he said to his younger brother in tears. "From now on I want to become a kind, honest person like you."

And from that time on, the two brothers lived together like the very best of friends.

30

한편, 착한 아우는 큰 걱정을 하고 있었읍니다. 하루가 지나도록 형은 돌아오지 않았읍니다. 아우는 집을 나서 숲속에 있는 빈집으로 달려갔읍니다.

"어떻게 된 일입니까?" 시퍼렇게 멍이 들도록 얻어맞고 마당에 누워 있는 형을 본 아우가 헐떡거리며 말했읍니다. 아우는 형을 들쳐 업고, 집으로 데리고 와서 정성들여 간호를 해주었읍니다.

형은 이제야 비로소 자신의 잘못을 깨닫고 미안해 했읍니다. "제발, 내가 저지른 나쁜 짓들을 모두 용서해다오," 형은 울면서 아우에게 말했읍니다. "앞으로는 나도 너처럼 착하고 정직한 사람이 될 테다."

그 이후로 두 형제는 다정한 친구처럼 의좋게 살았읍니다.

A Word to Parents:

"The Goblins and the Golden Clubs" talks the story of two brothers who run across a gang of savage goblins with very different results.

One evening, the younger brother loses his way in the forest and stumbles across a deserted house. Darkness swiftly falls and he is forced to spend the night there. Soon after dozing off he is suddenly awoken by eerie sounds coming from the room next door. Through a crack in the door he is astonished to see a band of ugly goblins dancing in a circle and waving clubs of silver and gold.

To calm his nerves the young man reaches into his pocket, pulls out a hazelnut and starts to bite on it. The nut breaks in two with a resounding crack. Startled by the sound, the goblins drop their clubs and flee from the house. Early the next morning the young man ties up the precious clubs and carries them back home. Needless to say, they make him and his family very wealthy indeed.

The greedy elder brother, however, becomes very jealous of his younger brother's success. He decides to go to the forest and get some goblin's clubs for himself. After a long walk he finds the deserted house and lies in wait. As soon as the goblins begin their mysterious dance, he pulls out a hazelnut and bites on it as hard as he can.

Instead of running away at the sound, however, the goblins become very curious indeed. Thinking that it is the greedy elder brother who has taken their clubs, they drive him out into the yard and give him a sound thumping.

Meanwhile the younger brother begins to worry. Almost a day has passed since his elder brother left in search of the goblins. He runs into the forest to find his badly bruised elder brother lying in the yard of the deserted house. He promptly carries him back home and nurses him back to his senses. The elder brother comes to his senses in more ways than one, and the two of them make up all their past differences.

By Mark C. K. Setton

Mark C. K. Setton

Mark C.K. Setton was born in 1952 in Buckinghamshire, England. He graduated from Sungkyunkwan University in 1983 and is presently completing his graduate studies in Oriental Philosophy at the same institution. He has spent the last 10 years in Japan and Korea translating and interpreting for various organizations including UNESCO and the Professors' World Peace Academy of Korea. During that time he has also contributed to various periodicals and newspapers on topics ranging from intercultural exchange to Confucian thought.

Korean Folk Tales Series

1. **Two Kins' Pumpkins**(흥부 놀부)
2. **A Father's Pride and Joy**(심청전)
3. **Kongjui and Patjui**(콩쥐 팥쥐)
4. **Harelip**(토끼전)
5. **The Magpie Bridge**(견우 직녀)
6. **All for the Family Name**(장화 홍련)
7. **The People's Fight**(홍길동전)
8. **The Woodcutter and the Fairy**(선녀와 나무꾼)
9. **The Tiger and the Persimmon**(호랑이와 곶감)
10. **The Sun and the Moon**(햇님 달님)
11. **The Goblins and the Golden Clubs**(도깨비 방망이)
12. **The Man Who Became an Ox**(소가 된 젊은이)
13. **Tree Boy**(나무도령)
14. **The Spring of Youth / Three-Year Hill**
    (젊어지는 샘물/3년 고개)
15. **The Grateful Tiger / The Frog Who Wouldn't Listen**
    (은혜 갚은 호랑이/청개구리의 울음)
16. **The Golden Axe / Two Grateful Magpies**
    (금도끼 은도끼/은혜 갚은 까치)
17. **The Story of Kim Son-dal**(봉이 김선달)
18. **Osong and Hanum**(오성과 한음)
19. **Admiral Yi Sun-shin**(이순신 장군)
20. **King Sejong**(세종대왕)